Die Seelenmuse

Gedichte

Heike Hoffmann

Bibliographische Information der Deutschen Nationalbibliothek:
Die Deutsche Nationalbibliothek verzeichnet diese Publikation
in der Deutschen Nationalbibliographie, detaillierte
bibliographische Daten sind im Internet über
http:/ / dnb.dnb.de abrufbar.

Coverdesign und Buchlayout: Sabina Nore
Herstellung und Verlag
BoD – Books on Demand, Norderstedt

ISBN: 9783741281334

Die Muse nahm mich an die Hand,
entführte mich ganz elegant
in eine Welt voll Poesie
und ich erlag der Euphorie.

Prolog

Eine gute Entscheidung, „Die Seelenmuse" in den Händen zu halten, um auf eine kleine große Reise zu gehen.

Die Muse wird dich begleiten oder vielleicht begleitest du sie ein Stück und eventuell begegnet dir sogar deine Seele. Es ist allein dir überlassen, welchen Weg deine Reise nimmt, denn die einzelnen Kapitel haben keine wirklich logische Reihenfolge, auch wenn ich sie bewusst so ausgewählt habe.

Irgendwann vor 2.5 Jahren hat die Muse bei mir angeklopft und verblieb die folgende Zeit mehr oder weniger intensiv an meiner Seite. Ich habe ihre Schwingungen und Träumereien zugelassen, mich mit Freude darauf eingelassen und Papier und Stift wurden fortan zu meinen besten Freunden.
Neugierig darauf, was die Lyrik mit mir machen würde oder aber ich mit ihr, entwickelte sich eine große Leidenschaft, aus der ich nicht nur Kraft, sondern auch enorme Energie für jeden neuen Tag schöpfen konnte.

Meine Aufmerksamkeit wuchs und manchmal entstand ein Gedicht aus einer Begebenheit, einem schönen Lied, aus meinen Lieblingsbüchern und alltäglichen Dingen, die sich plötzlich in den Vordergrund drängten und Kleinigkeiten erhielten eine eindrucksvolle Bedeutung.

Die Passion wuchs und als ich darauf angesprochen wurde, doch ein Buch entstehen zu lassen, war ich sehr überrascht. Doch dieser Impuls wurde meine Initialzündung.

Ich schrieb meine Gedanken und lyrischen Momente weiterhin auf und begann mich mit der Idee „Abenteuer Buch" anzufreunden.

Nun liegt es vor dir, eingebunden in Fantasie, auf dem die Muse ihre Seele küsst. Sie ist gewachsen und bricht in voller Schönheit heraus, um sich der Natur mit all ihrer Grazie zu erfreuen.

Ich wünsche dir und euch einen bezaubernden Spaziergang durch „Die Seelenmuse"!

Die Seelenmuse

Seelentänze

Erblühen und erleuchten das Sein,

Erheitern und inspirieren jene

Leidenschaft und voller Lust

Erobern sie den Tag im Zauber der

Nacht, umgeben von Klängen sanfter

Melodien, so leicht und wild in

Ungeduld erwartungsvoll der

Seelenmuse,

Entsprungen schönster Fantasie.

Kapitel I

Das Lachen

der Muse

2

Ein blauer Tag

Hab' mich entschieden
nicht aufzusteh'n,
nicht ständig
auf die Uhr zu seh'n.

Heut' entflieh' ich
dieser Welt,
ich bleib im Bett
so lang's gefällt.

Ich schmeiß' den Wecker
an die Wand,
hab' Hast und Eile
heut' verbannt.

Will einmal nicht
durch's Leben hetzen,
treppauf, treppab
mich selbst zerfetzen.

Die Welt kann
so viel schöner sein,
kehrt Ruh‘
in meine Seele ein.

Macht was ihr wollt
und lasst Euch jagen,
begrüßt den Stress,
nur nicht verzagen.

Es mag ja sein,
der Druck hält fit,
ich steig‘ heut aus,
ich mach' nicht mit.

Was für ein Tag

Heute berühre ich den Tag
mit Gefühl und Sympathie.
Ich geh durch die Straßen und schenke
der älteren Lady eine weiße Rose,
nehme ihr die Last ab
und flüstere ihr ein Gedicht ins Ohr.

Heute ergreife ich den Tag
mit Freude und Humor.
Ich tanz‘ auf den Wiesen,
streck‘ den Kindern die Zunge raus,
zeig' ihnen die lange Nase,
und amüsiere mich köstlich über sie.

Heute kreiere ich den Tag
mit Energie und viel Elan.
Ich folge dem Rhythmus der Musik,
bring‘ bunte Farben an die Wand,
lass‘ der Fantasie freien Lauf,
und schöne Gedanken dazu fließen.

Heute genieße ich den Tag
voller Lust mit allen Sinnen.
tauche ein in das Lavendelbad,
kauf mir ein schönes Kleid,
zaubere ein köstliches Mahl,
und lade dich ein, bei mir zu sein.

Heute ist mein Tag.

Musik

Es gibt Momente,
da Musik ertönt,
ganz leise wispert,
Klänge mich umhüllen,
mich in Trance versetzen.

Es gibt Momente,
da Musik vibriert,
laut rockt und bebt,
mich aus der Stille befreit,
und mir den Tag erhellt.

Es gibt Momente,
die ich genieße,
einatme, verschlinge,
da Musik sanft zu mir spricht,
mich hört, verzaubert,
so sehr versteht.

Es gibt Momente,
da weine ich, stolpere,
stehe dennoch auf,
weil Musik mich küsst,
meine Sprache spricht,
mein Herz zum Tanzen bringt.

Der Ohrwurm

Ich hab' da einen Wurm im Ohr,
der kommt mir seltsam spanisch vor.
Er zwickt und zwackt mich immerzu,
ich komm' so einfach nicht zur Ruh.

Der Wurm hat einen Song verschluckt,
ihn einfach in mein Ohr gespuckt.
Nun trällert er ihn vor sich hin,
drei simple Töne ohne Sinn.

Der Text des Liedchens ist gar seicht,
mein Hirn hat es gelernt ganz leicht.
Es ist von diesem Stück besessen,
ich kann es einfach nicht vergessen.

Oh je, ich frage mich mit Bangen,
bleibt dieser Wurm in mir gefangen?
Sollt' ich vielleicht zum Doktor gehen
und ihn mal bitten nachzusehen?

Ach, was soll er dagegen machen,
womöglich fängt er an zu lachen!
Ich muss den Wurm nur überlisten
und lad mir ein 'nen Pianisten.

Ich bitte ihn mit mir zu singen,
nur Lieder, die ganz traurig klingen.
Will mich befreien von dem Geist,
egal wie dieser Hit auch heißt.

Der Pianist, ein kluger Mann,
fängt klimpernd leicht zu spielen an.
Er hat Humor und Fantasie,
sein Spiel gleicht einer Sinfonie.

Ich bin begeistert, voller Mut,
spür' all das Schwingen und die Glut.
Die Freude in mir aufrecht tanzt,
ich hab' den Ohrwurm umgepflanzt!

Der Pianist klangvoll bereit,
hat mich von diesem Wurm befreit.
Ich danke ihm von ganzem Herzen,
ist ER befallen nun von Schmerzen?

Erlösung

Endlich ist er da,
der Moment
der Berührung
unserer Gläser,
im Klang der Sinfonie,
der Gedanken,
unserer Philosophie,
dieses Lachen,
eine Begegnung
unserer Seelen,
die Harmonie von Geist
und Gefühl.

Sie, die Vollendung
von Sehnsucht und
Leidenschaft.

Phil und Sophie

Phil und Sophie ein kluges Paar,
sehr konstruktiv und wunderbar,
entdecken immer wieder gern
das Wissen um des Glaubens Kern.

Das Universum sie erhellt,
das Phänomen der großen Welt,
gefüllt mit Fragen nach dem Sein,
stellt sich so manche Antwort ein.

Es ist ganz gleich um welche Zeit,
zum Diskutieren stets bereit,
ergründen sie den Schein im Licht,
an Vehemenz gespart wird nicht.

Sophie ergreift zuerst das Wort,
Phil setzt im Nu die Reise fort,
sich fragend, was ist existent,
doch das Ergebnis scheint latent.

Sie debattieren durch die Nacht,
an Schlaf wird dabei nicht gedacht,
denn tief im Leben steckt die Kraft
voll Euphorie und Leidenschaft.

Die Analyse wird gemacht,
selbst Hegels Seele leise lacht,
die staunt wie beide konferieren,
sich in der Empirie verlieren.

Sie konstruieren ihre Lust
in Kunst und Sprache ganz bewusst,
der Weisheit Liebe sie berührt,
das kluge Wort sie still verführt.

Phil und Sophie ein schönes Paar
erobern sich nun schon ein Jahr
in metaphysischer Magie:
Die Liebe heißt Philosophie.

Wege

Mein Weg
ist bestimmt,
ich kenne ihn,
doch bleibe ich stehen.
Ein kurzes Zögern,
dann schlag ich ein,
die eine Richtung,
die ich mag.

Wer mich begleitet,
erahne ich.
Du bist dabei,
passt auf mich auf,
hältst meine Hand,
wenn ein Holpern beginnt,
ich den Berg erklimme,
dein Herz laut pulsiert.

Ich geh meinen Weg
und ich spüre,
was immer geschieht,
wo auch immer ich bin,
du bist für mich da
und wenn ich falle,
fängst du mich auf.
Du bist der Halt
in meinem Leben.

In Gedanken

Der Zug rollt ein,
ich steh' wartend am Gleis,
spüre das Kribbeln im Bauch.
Es ist das seltsame Gefühl
auf Reisen zu gehen,
sich ein Stück treiben zu lassen.

Doch diese Ungewissheit,
erreiche ich wirklich mein Ziel?
Bin ich zu spät oder zu früh?
All diese Spannungen.
Ich werde nicht umsteigen,
schon gar nicht aussteigen.

Das Abteil betretend,
setze ich mich ans Fenster,
blättere in meinem Buch.
Die Träume beginnen,
und jedes Kapitel schreibt
ein wenig meine Geschichte.

Der Zug rollt ein,
ich steh' wartend am Gleis,
spüre das Kribbeln im Bauch.
Es ist ein wunderbares Gefühl,
dir endlich zu begegnen,
zu wissen, ich bin angekommen.

Vor dem Café

Ups, da flog er auf mich zu,
ein strahlend bunter Ball.
Galant wollt' ich zur Seite springen,
doch dann fing ich ihn auf.

Wow, ist der schön.
Seine Farben, wie sie leuchten,
diese Beweglichkeit.
Eine Ausstrahlung, wie ich sie mag.

Aus den Gedanken gerissen,
erwache ich aus meinem Traum.
Was war das?
Das ist kein bunter Ball,
aber Ausstrahlung hat er auch.
Und Charme,
sein Lächeln,
diese Lippen
und das Blinzeln in seinen Augen.

Ich glaub' es nicht,
wir kennen uns doch.
Jetzt muss ich lachen.
Strahlend geh' ich auf ihn zu.

Gefangen in seinen Armen,
berührt von seinem Kuss.

Der Pianist

Der Pianist, er stimmt sich ein,
bestellt beim Kellner ein Glas Wein.
Still schaut er in der Bar sich um,
ein Blickkontakt ins Publikum.

Alsbald ertönt ganz sanft Musik,
die Tasten hüpfen *magnifique*.
Der Mann im Frack spielt virtuos,
die Noten tanzen hemmungslos.

Das erste Paar steht schweigend auf,
so nimmt der Tango seinen Lauf.
Ihr Feuer schürt in ihm die Glut,
der Pianist zollt stumm Tribut.

So musiziert er froh und heiter,
die Tänzer schweben lustvoll weiter.
Sein Repertoire ist umfangreich,
dem Tango folgt ein Walzer gleich.

In seiner wohlverdienten Pause,
denkt er noch lang nicht an zu Hause.
Der Pianist genießt den Drink,
als er bemerkt den fernen Wink.

Er lächelt keck und nippt am Bier,
grandios belebt er das Klavier.
Die Stimmung ist recht aufgeheizt,
weil musikalisch er nicht geizt.

Voll Leidenschaft hoch motiviert,
erklingt sein Lied, improvisiert.
Als plötzlich eine Lady singt,
der Pianist nach Atem ringt.

Er wagt sich jetzt nicht umzudreh'n,
da er begreift, es wird gescheh'n.
Galant schwingt sie sich auf's Klavier,
der kluge Mann bewahrt Manier.

Ihr Blick hat ihn im Nu berührt,
der Pianist fühlt sich verführt.
Jedoch bewahrt er Contenance,
so schnell gibt er ihr keine Chance.

Doch dann beginnt er zu versteh‘n,
die schöne Stimme ist Marlene.
Er hat sie nicht sofort erkannt,
sie gingen einst mal Hand in Hand.

Der Gymnasiast

Da steh' ich nun, der Gymnasiast,
man sieht mir an, welch große Last,
ich heute hab' zu tragen.

In meinem Kopf, da schwirren sie,
tausende von Fragen!

Wie war das mit der Empirie?
Und was besagt Freuds Theorie?
War Stanley Milgram paradox?
Und wozu dient die schwarze Box?

Den Pawlow hab' ich gut kapiert,
der hat den Hund konditioniert.
Doch gab's da noch die Extinktion!
Erholung statt Konfrontation?

Dann fällt mir der Bandura ein.
Der Typ scheint interessant zu sein.
Sein Bobo-Doll Experiment
heißt Rocky und ist mir nicht fremd.

Was war noch mal Korrelation?
Von Paradigmen hört' ich schon.
Der Skinner war Behaviorist,
der Kognitives gern vergisst.

Hier steh' ich nun, der Gymnasiast,
betret' den Raum, hab' Mut gefasst.
Ich les' das Thema: „Lernen Reifen"
und kann sofort den Sinn begreifen.

Galant erklär' ich die Prozesse,
nenn' Termini mit Raffinesse.
Die Prüfer lehnen sich zurück –
Sie sind begeistert, welch ein Glück!

Das Rendezvous

Ach, so eine Ehekrise
muss nicht wirklich tragisch sein.
Reden heißt dann die Devise,
möglichst nicht nur Frau allein.

Doch so einfach ist das nicht,
wenn der Mann sehr wortkarg ist.
Folglich braucht er einen Reiz,
die kluge Frau kennt keinen Geiz.

Also nimmt sie sich die Zeit,
zieht sich an ihr schönstes Kleid.
Setzt sich lächelnd vis-à-vis,
zeigt verführerisch ihr Knie.

Plötzlich wird der Gatte munter,
schaut gar lüstern an ihr runter.
Wirft ihr tiefe Blicke zu,
freut sich auf das Rendezvous.

Aber Frau bewahrt Gesicht,
liebster Mann so geht das nicht.
Sie hat da noch so ein, zwei Fragen,
irgendwas muss er nun sagen.

Mann beginnt zu überlegen,
welche Antwort er kann geben.
Eine trefflich, imposante,
eine, die sie noch nicht kannte.

Verheißungsvoll scheint die Idee,
denn seine Frau liebt Poesie.
So greift er zu Papier und Stift,
schreibt ein Sonett samt Unterschrift.

Die Zeilen wählt er sehr bewusst,
sie wecken in ihr große Lust.
Vergessen ist der kleine Streit,
ganz zärtlich öffnet er ihr Kleid.

Ja, so eine Ehekrise,
muss nicht wirklich tragisch sein.
Manchmal weht 'ne kleine Brise
Doch ihr folgt ein Stelldichein.

Katzenjammer

Pfützen sind leicht zugefroren,
Spatzen tanzen auf dem Eis,
flattern lustig mit den Flügeln,
als die Katz sich still anschleicht.

Hinter einem Busch verweilend,
bleibt sie lautlos achtsam stehen,
freut sich auf die fette Beute,
verlustiert sich am Geschehen.

Wartend sitzt sie auf der Lauer,
jeden Spatz fest im Visier.
kann die Katz es kaum erwarten
zu befrieden ihre Gier.

Als die Spatzen voller Freude
sich erlaben an dem Spiel,
setzt die Katz sich in Bewegung,
nur ein Sprung fehlt ihr zum Ziel.

Amüsiert der Spatzen drei
springt sie kraftvoll auf das Eis,
siegessicher zu gewinnen,
zu erobern ihren Preis.

Mitten auf dem Eis gelandet
und den Spatzen ziemlich nah,
spürt sie ihre Pfote schmerzen,
schnell bemerkt sie was geschah.

Keinen Vogel konnt‘ sie fangen,
doch gebrochen war das Eis,
tief vergraben in die Tatze
jammert und miaut sie leis!

Nur die Beute vor den Augen,
ließ vergessen die Gefahr,
sich auf Glatteis zu begeben,
endet manchmal sonderbar.

Die Eintagsfliege

Da sah ich sie, die Eintagsfliege
und fragte mich, was ihr so bliebe
von einem einz'gen Tag allein.
Kann sie so wirklich glücklich sein?

Sobald das Weibchen ist geschlüpft,
das Männchen gleich die Ehe knüpft.
Alsbald beginnt der Akt der Paarung,
das erste Mal und null Erfahrung!

Nach dieser kurzen Liebelei
ist's für den Mann auch schon vorbei.
Wenn er dann fällt ins Wasser rein,
wird er sofort im Himmel sein.

Das Weib indessen hat zu tun
und kann trotz Liebe noch nicht ruh'n.
Am Fluss die Eier sie versenkt
bis sie erschöpft an Abschied denkt.

Da seh' ich sie, die Eintagsfliege
und frage mich, was uns wohl bliebe,
hätte der Mensch nur einen Tag,
ob er von Liebe leben mag?

Kapitel II

Die Verführung

der Muse

Blumengeflüster

Ich hab' den Frühling heut' entdeckt,
der Krokus hat das Gras geneckt.
Das Schneeglöckchen war amüsiert
und ahnte, dass gleich was passiert.

Der Krokus streckte sich empor,
zupft den Grashalm sanft am Ohr.
Er wollte ihm zwei Worte flüstern,
das Schneeglöckchen, es seufzte lüstern.

Der Grashalm anfangs irritiert,
war von den Worten fasziniert.
Das Glöckchen keck und lustvoll witzelt,
dem Grashalm in der Nase kitzelt.

Plötzlich fing er an zu niesen
und es erhoben sich die Wiesen.
Ich sah ein buntes Blumenmeer,
der Lenz ist da mit seinem Flair.

Liebeslied

Ich mag nicht
länger auf meine
Träume warten,
um dir wieder
zu begegnen.

Ich mag nicht
wieder und wieder
deine Zeilen lesen,
um deine Seele
zu verstehen.

Ich mag nicht
immer nur dein
Bild betrachten,
um zu ahnen,
wonach du sehnst.

Ich mag nicht
an dich denken nur,
um zu fühlen,
dass dein Herz
in Flammen steht.

Ich mag entschlossen
meinen Weg nun gehen,
um dir zu sagen,
wie groß die Sehnsucht
nach dem Tanz
der Liebe ist.

Berührung

Mich hat der Frühling
heut' berührt,
nahm meine Hand,
hat mich entführt.

Mein Herz fing
heftig an zu schlagen.
Was ist passiert?
Ich muss ihn fragen.

Doch blieb mir dafür
keine Zeit,
er schenkte mir
ein buntes Kleid.

Er sah mich an
und lachte nur.
Folg mir geschwind
in die Natur!

Du wirst das
Paradies erleben,
die Wonne spüren,
staunen, schweben.

Auf einem Teppich,
blütenbunt,
hat er geküsst
mich auf den Mund.

Ein Wahnsinn
diese Frohnatur,
die Heiterkeit
und Liebe pur!

Sehnsucht

Ich sehne mich
nach deiner Wärme
und Umarmung,
nach deiner Fröhlichkeit
und deinem Duft.

Wenn deine
Knospen sprießen,
bleib' ich stehen
und möchte sie
ganz sanft berühren.

Ich sehne mich
nach deiner Seele
und Geborgenheit,
nach deiner Nähe,
deiner Zärtlichkeit.

Wenn deine
Lieder klingen,
schwingt mein Herz
und deine leisen Worte
erhellen jede Finsternis.

Ich sehne mich
nach deinem Zauber
deiner Blütenpracht,
nach jedem Reiz,
der mich in deiner Fantasie
versinken lässt.

Lieber Lenz,
ich sehne mich!

Zweisamkeit

Ich schenke dir
meinen Traum
auf der Blumenwiese
mit meinem Duft,
der dich zart umhüllt.
Vögel singen
mein Lieblingslied
und begleiten dich
auf deinem Weg.

Ich schenke dir
diese Momente
der Zweisamkeit
im Mondenschein.
Sterne spiegeln sich
im Wasser wider
und seine Wogen
laden uns ein, in ihren
Fluten zu versinken.

Ich weiß
um deinen Traum
und bin bereit
ihn zu erleben,
ihn mit dir zu teilen.
Halt mich fest
und lass uns
dieses Sehnen
einfach genießen.

Sonnenregen

Regen und Sonne,
ein Feuerwerk,
das in Hoffnung erstrahlt,
mich fesselt, verzaubert,
meine Seele den Tanz beginnt.

Die Regentropfen mag ich fangen,
sie zart berühren und all das
Perlen auf meinem Körper sehen.
Mein Haar und mein Kleid durchnässt,
erlebe ich dieses Prickeln pur.

Ein Lachen der Sonne
schenkt mir das Licht und die Freude
auf den Duft der Natur,
lässt mich die Wiesen farbig malen
und mit dem Regenbogen ziehen.

Ich fühl' mich umhüllt
vom Glück der Liebe,
gebettet auf dem satten Grün,
schließ' ich die Augen sanft
und folge den Wolken über mir.

Regen und Sonne
begleiten meine Träume,
und diese schöne Reise
verweilt in jenem Augenblick,
da ich deine Lippen spür'.

Dein Lachen bringt Feuer
jeden Tag neu in mein Herz
und auch wenn es stürmt,
leuchten sie, die Farben,
bei Regen und in der Sonne.

Schlaflos

Schlaflos
wandern meine Gedanken
durch die Nacht,
und es ergreift mich
diese Sehnsucht
nach dem Leben.
Es gibt noch so viel
zu sagen,
zu fragen,
zu begreifen.

Schlaflos
entstehen diese Träume.
das Verlangen
nach einem Tanz mit dir,
voller Trance und Gefühl,
diese Magie.
All die Neugier,
auf das Detail im Leben
beflügelt mich und lässt
Traum und Nacht begegnen.

Ein Traum

Letzte Nacht erschien ein Traum,
wir saßen unter einem Baum.
Ein starker Wind umschlang die Äste,
Blätter flogen auf die Gäste.
Ein Freudentanz in der Natur
berührte uns're Seelen pur.

Der Sekt in uns'ren Gläsern klang,
ganz leis und zart ein Vogel sang.
Da war ein Zauber der Gefühle,
vergessen schienen Wind und Kühle.
Die Atmosphäre wunderschön,
ließ Lampenfieber schnell vergeh'n.

Alsbald begann die Fahrt zum See,
nichts ahnend was uns dort gescheh'.
Es war kein Platz für uns mehr frei,
wir zogen weiter eins, zwei, drei.
Ein wunderschönes Haus lud ein
zu Köstlichkeit und edlem Wein.

Die Illusion der Zeit begann
und immer neu stießen wir an
auf diese herrlichen Momente,
du streicheltest mir meine Hände
hast meine Finger sanft berührt,
ein bisschen wie im Film verführt.

Wir haben uns so viel erzählt,
vom guten Tropfen uns genährt,
gelacht, gestaunt, das Sein erlebt,
den Sinn der Wellen neu bewegt.
Spät in der Nacht ging es zurück,
im Freudentaumel voller Glück.

Dann kam die Zeit, um Ciao zu sagen,
wir mussten diesen Abschied wagen.
Ein Kuss, vier Arme, kleine Tränen,
wir werden uns einander sehnen.
Auch wenn uns trennen viele Meilen,
ein Wiedersehen wird uns heilen.

Ich bin erwacht und glaub es kaum,
was wir erlebt, es war kein Traum.

Spätling

Fang mich auf
mit deinen Ästen.
Gib mir Balance
mit deinen Zweigen.
Streichle mich sanft
mit deinen Blättern.
Mach' mir Mut
mit deinen Farben.

Vermisch meine Tränen
mit deinem Regen.
Schenk' mir Kraft
mit deiner Seele.
Behüte mein Herz
mit deinem Zauber.
Umhüll' mich zart
mit deinem Schleier.

Lass mich kosten
von deinen Früchten.
Verführ' mich heut
mit deinem Duft.
Berühr' mein Sein
mit deiner Schönheit.
Halte mich fest,
du wilder Herbst.

Umschlungen

Umschlungen
von der Nacht,
genieße ich die Wärme
deines Körpers,
höre dein Herz schlagen,
spüre den Rhythmus
deiner Atemzüge.

Umschlungen
lauschen wir
dem lauen Wind,
hören das leise Wiegen
der Blätter über uns.

Ein Augenschlag
folgt unseren Düften,
unsere Lippen begegnen
und berühren sich.
Tief umschlungen.

Vergissmeinnicht

Du kannst nicht bleiben,
du musst nun gehen,
gabst du mir heute zu verstehen,
Du fühlst in dir ein fernes Treiben,
kannst es mit Worten nicht beschreiben.
Ich mag's nicht glauben,
bleib still und stumm
und frag mich leise nur ‚Warum'?

Ich bin so traurig,
der Schmerz sitzt tief,
ich find' keine Antwort
was falsch bei uns lief.
Du streichelst noch einmal
mir sanft über's Haar
und sagst beim Gehen
‚Hab Dank für das Jahr'.

Tränen rinnen,
du lässt mich zurück.
Ich war so verliebt,
voller Hoffnung und Glück.
Du gehst neue Wege
vertraust meinem Sein.
Ich werd‘ dich vermissen,
Du Sonnenschein!

Die Tür fällt ins Schloss,
ich weiß keinen Rat,
ich spüre wie die Kälte naht.
Mein Magen krampft,
ich fühl' mich ganz lau.
Ohne dich ist jeder Alltag so grau.
Heiterkeit und Freude gehen,
doch ich weiß, es hilft kein Flehen.

All meine bunten Blumen,
sie welken, verblassen.
War es nicht feige,
dich gehen zu lassen?
Ich kann dich nicht halten,
nicht mit Tränen und Scherzen.
Ich kann nur hoffen,
du behältst mich im Herzen.

Du hast mir Mut und Kraft gegeben,
hast gestärkt mein Seelenleben.
Die Erinnerungen weilen fort,
ganz egal an welchem Ort.
Ich bewahr‘ mir das Lachen
auf deinem Gesicht.

Liebster Sommer
vergiss mich nicht!

Ich bin ein Herbstkind

und DU, Herbst,
bist mein Begleiter
mit all deinen Farben,
die meine Seele
leuchtend erstrahlen lassen.
Deine Blätter so bunt und wild
animieren mich,
ihrem Tanz zu folgen.

Brausender Wind
zerzaust mir mein Haar,
wirbelt meine Gedanken
durcheinander und
ich spüre ein Schweben.

Dein Regen peitscht
mir ins Gesicht,
weckt mich
aus meinen Träumen
und das Fallen deiner Früchte
zaubert ein Lächeln
auf meine Lippen.

Erblicke ich die ersten Kastanien,
stopf ich mir die Taschen voll,
denn ich bin ein Herbstkind.
Und du, Herbst,
bist mein Begleiter!

Gefesselt

Immer wieder
genieße ich deine Fesseln.
Diese Stärke und Intensität
berauschen meine Sinne.
Diese Stürme in mir,
erobern mein Herz
und rauben mir den Verstand.

Immer wieder
erfreue ich mich deiner
sanften und starken Berührungen.
Ich höre meinen Atem,
ringe nach Luft und
habe das Gefühl,
einer Explosion zu begegnen.

Immer wieder
spüre ich diese Lust
und meine Freude
auf ein neues Abenteuer.
Meine Sehnsucht
begleitet von Spannung
und Ungeduld
verlangt nach dir.

Du schenkst mir
dieses Glücksgefühl.
Du kennst das Geheimnis
um meine Leidenschaft.
Du darfst mich fesseln,
immer wieder.
DU!

Über dem Meer

Ein Verehrer sprach ihr ins Gewissen,
bitte Liebste, lass mich wissen,
wo immer du auch wirst verweilen,
Vergiss mich nicht und meine Zeilen.

Mein liebster Freund sei ohne Sorgen,
ein jedes Wort hab ich verborgen,
wohl umhüllt in meinem Herzen
trag ich sie mit Stolz und Schmerzen.

Oh, nein, du sollst nicht traurig sein,
die meine Seele lädt dich ein,
den Tanz der Liebe bald zu wagen.
Ich werd‘ dich über Meere tragen.

Du weißt, wie gern würd‘ ich das tun
in deinen Armen zärtlich ruh‘n.
Doch die Moral lässt es nicht zu,
die Zweisamkeit bleibt ein Tabu.

Verzweifle nicht mein liebes Weib,
ich spüre täglich deinen Leib,
kann kaum erwarten den Moment,
das Feuer in mir heut‘ schon brennt.

Oh Liebster sag, kann ich verwehren
deine Sehnsucht, dein Begehren?
Zerspreng die Fesseln der Magie,
ich leb‘ den Tod der Sinfonie.

Ich bitte dich, bewahr‘ dein Leben,
was kann ich Schöneres dir geben
als mein Herz und meine Seele,
gar zugeschnürt ist mir die Kehle.

Was wird geschehen mit uns beiden?
Ich mag ertragen nicht das Leiden.
Die Nacht ist hell, der Tag so leer.
Mein Liebster komm‘, betritt das Meer.

Kapitel III

Die Tränen

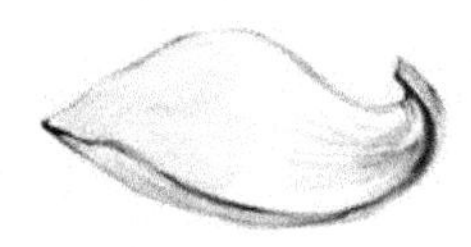

der Muse

Tränen

Tränen kein Zeichen
der Trauer.
Bewusstsein,
Destruktion der Magie
eines magischen Bandes
wider jede Absicht
oder falscher Illusion?

Tränen ein Zeichen
der Heilung,
der Auseinandersetzung
mit dem Leben,
Unverständnis,
Ungesagtes!
Tränen der Heilung.

Du

Du
bist traurig.
Ich fühle es,
sehe dich.

Du
willst nicht reden,
bist enttäuscht,
suchst die Dunkelheit.

Du
bist betrübt.
Ich mag das nicht.
Schau mich an!

Du
siehst mich an,
voller Wehmut.
Ich geh' auf dich zu.
Meine Zunge berührt
deine Nasenspitze.
Du packst mich
und wir beginnen
herzhaft zu lachen.

Du
bist nicht traurig,
jetzt nicht,
nicht in diesem Moment.

Stille

Stille
ist Fühlen.
Stille
ist Flüstern,
dein leises Atmen.

Stille
ist kreativ,
ich spüre den Duft.
Stille
ist Melancholie.

Stille
ist Fantasie.
Stille
lässt mich verweilen
und genießen.

Stille
ist nicht Schweigen.
Schweigen
ist zu still.

Schweigen
ist Angst.
Schweigen
lässt sterben.

Entschieden

Du hast dich entschieden,
du bist fort,
einfach gegangen,
drei Zeilen
jedoch kein Wort.

Ich war entsetzt, überrascht,
irritiert.
Es ist dein Weg,
du hast dich entschieden.
Wenn das alles war,
dann geh!
Geh deinen Weg!

Vielleicht bleibst du stehen,
erinnerst dich
an die schönen Momente,
oder
hast du sie alle gelöscht?

Du hast dich entschieden,
ich halte dich nicht.
Nein, dreh dich nicht um!
Ich folge dir nicht.

Auch ich hab' mich entschieden.

Der Mensch

Der Mensch an sich ist seltsam schon,
vergreift er sich dann noch im Ton,
verliert er Macht und Übersicht,
zeigt unverblümt uns sein Gesicht.

Er denkt nicht immer sonnenklar,
verwechselt oft was falsch und wahr,
bemerkt die eignen Fehler nicht,
steht dennoch stolz im Rampenlicht.

Der Mensch vergisst die Relation,
geboren klein als Mutters Sohn
glaubt, ihm gehöre diese Welt,
die er regiert mit seinem Geld.

Er debattiert gern fern von Morgen,
ignoriert externe Sorgen,
fokussiert sich nur auf sich,
offenbart sein wahres ICH.

Der Mensch an sich oft wunderbar,
gelehrt, gescheit, ja wenn auch rar,
kann schönste Meisterwerke schaffen,
nutzt er sein Herz und Geist als Waffen.

Herzklopfen

Ein letzter Moment
in deinen Armen
umgibt mich
mit Schweigen,
doch hör' ich jedes Wort.

Dein letzter Kuss,
auf meinen Lippen
macht mich stark,
obwohl mein Herz
die Ferne spürt.

Ein letzter Blick
in deine Augen
sagt mir, wie groß
die Sehnsucht und
wie nah der Abschied ist.

Unser Lied

Unser Lied möcht‘ ich gern singen,
doch sind die Tränen mir so nah.
All deine Worte hör‘ ich schwingen
und habe Angst, sie werden wahr.

Warum kann ich nicht bei dir sein,
wenn doch die Sehnsucht ist so groß?
Meine Seele schmerzt vor Pein,
wann lässt das Schicksal endlich los?

Ich mag den Tag so nicht beginnen,
drum leg‘ ich still mich wieder hin.
Spür‘ wie die Tränen leise rinnen,
und hinterfrage all den Sinn.

Allmählich find‘ ich meine Ruh‘
erschöpft und müde schlaf‘ ich ein.
Im Traum schaust du mir lächelnd zu,
du spielst Musik bei Kerzenschein.

Ich höre uns're Lieblingslieder,
und zieh mir an mein schönstes Kleid.
Wir tanzen Walzer, immer wieder,
dein Flüstern sagt „genieß die Zeit“!

Ein Wiedersehen

Zwei vermeintlich gute Freunde
trafen sich auf ein Glas Wein,
sind durch Zufall sich begegnet,
also kehrten sie froh ein.

Herr L. ein guter Referent
konnte schöne Reden schwingen.
Herr W. hat sein Talent bestaunt,
ihm wollte das so nie gelingen.

W. verblüfft von den Geschichten,
die L. erzählt aus all den Jahren.
Ein Schmunzeln seine Lippen ziert,
denn er hat anderes erfahren.

Schon tanzen sie die alten Phrasen
voll Fantasie und Kreation.
Herr W. warf einen Blick auf L,
ein déjà vu in Perfektion.

Herr L. vertieft in seine Welt,
glaubt das Leben zu verstehen.
Doch kommt ein Klügerer daher,
beginnt er Fakten zu verdrehen.

Herr W. belesen und erfahren,
ihn zu betrügen kaum gelingt,
weiß, was Ehrlichkeit bedeutet,
sobald die Anerkennung winkt.

So tauschten sie Gedanken aus,
besannen sich auf manchen Spaß.
L. erfand gar tolle Blüten,
Herr W. bestellte noch ein Glas.

Längst hatte W. Herrn. L entlarvt,
der seinem Namen Ehre macht.
Des Lügners Nase sichtbar wächst,
die Wahrheit still und heimlich lacht.

Nach einem Liter roten Wein
ergriff Herr W. nun auch das Wort.
Auch wenn er kein Rhetoriker,
lebt doch die Wahrheit in ihm fort.

Ich frage mich...

Wie ver-rückt ist diese Welt?
Dreht sich alles nur ums Geld?
Hat die Liebe keine Kraft?
Wird der Frieden abgeschafft?

Hat der Mensch an Wert verloren?
Warum wird ein Kind geboren?
Wird die Sonne untergehen
ohne wieder aufzustehen?

Werden Söhne zu Soldaten,
wertvoll nur durch ihre Taten?
Wird der Krieg Normalität?
Ist die Rettung schon zu spät?

Hat das Leben keine Chance?
Geht verloren die Balance?
Muss der Optimismus weichen?
Gehen Männer über Leichen?

Muss die Erde Angst erleben?
Oder wird es Hoffnung geben?
Werden morgen Blumen sprießen?
Endet bald das Blutvergießen?

Hat die Sehnsucht einen Sinn?
Bringt die Trauer uns Gewinn?
Folgt dem Schatten wieder Licht?
Steckt die Lösung im Verzicht!

Nackt

Nackt und ehrlich
kommst du zur Welt,
ein wahres Wunder,
ein kleiner Held.

Du wirst geliebt,
gehegt, gepflegt,
darfst alles sagen,
was dich bewegt.

Du stolperst langsam
durch dieses Leben,
lernst zu nehmen,
selbst zu geben.

Dein Dasein scheint
wie ein Vergnügen,
noch ahnst du nichts
von all den Lügen.

Doch irgendwann
kommt der Moment,
wo du es suchst
das Argument.

Du wirst mit Kriegen
konfrontiert.
Und fragst dich oft
was noch passiert.

Wird die Wahrheit
dir verschwiegen,
soll der Krieg den
Mensch besiegen?

Hinterlässt die
Erde Scherben?
Wird die Umwelt
langsam sterben?

Nackt und ehrlich
einst geboren,
hast du gekämpft,
und doch verloren.

Wenn du gehst

Ich spüre heute schon
diesen Kloß im Hals,
das Schlagen in meinem Herzen,
die Niagara – Tränen,
die über meine Wangen laufen.

Ich erlebe heute schon
wilde und tosende Gedanken,
in meinem Kopfe wirbeln,
meine Seele berührend,
meine Balance ins Wanken bringen.

Ich vermisse dich heute schon,
dein Lachen am Morgen,
deinen Schalk und deine Wärme,
deine Umarmung und liebenden Hände,
deine Nähe und Geborgenheit.

Ich weine heute schon,
kommt jener Augenblick,
wenn dein Koffer sich füllt,
mich unendliche Sehnsucht weckt
in der stillen und einsamen Nacht.

Ich genieße heute schon
dieses Kribbeln im Bauch,
die Vorfreude und Ungeduld
auf deine strahlenden Augen,
deine Lippen und deine Küsse.

Ich freu' mich heute schon
so sehr auf dich!

82

Kapitel IV

Der Sturm

der Muse

Regentropfen

Der Himmel weint.
Straßen sind leer.
Menschen fliehen.
Angst vor dem Untergang?
Vögel beginnen zu singen,
zarte, fröhliche Töne.
Blumen erheben sich,
bekennen Farbe.

Der Himmel weint.
Fenster öffnen sich still.
Menschen treten hinaus.
Atmen tief.
Fangen die Tropfen ein.
Ehrlichkeit erwacht
und Leidenschaft.
Momente voller Genuss.

Der Himmel weint.
Die Natur lächelt.
So schön und sorgenfrei!
Musik ganz sanft ertönt.
Menschen stimmen ein,
tanzen froh und zufrieden.
Der Himmel weint,
nur Freudentränen.

Die Brandung

Ich mag diese Brandung,
das Toben der Wellen
stürmisch und prachtvoll
meine Seele bebt.

Felsen strotzen vor Mut
frohlockend im Wasser
stehen sie furchtlos bereit
den Wogen zu begegnen.

Der Wind genießt sein Spiel
voller Freude erheitert er
sich am Duell der Natur
in einem magischen Kampf.

Die Strömung spürt ihre
atemberaubende Pracht
und genießt all den
Zauber des Spektakels.

Das Meer erklingt und
ein tosendes Orchester
begleitet diese Sinfonie
voller Stolz und Harmonie.

Glücklich und zufrieden
blinzelt die Sonne und
ihr Glitzern reflektiert
die Strahlen im Sein.

Wohl dem Menschen,
der diese Launen erträgt
sich den Abenteuern stellt,
diesen Wellenschlag liebt.

Ein Orkan

Heut‘ klopfte der Herbst
an meine Tür
und rief ganz laut,
komm öffne mir.
Der Wind, er pfeift
hier stark ums Eck‘.
Ich brauche dringend
ein Versteck.

Total erschrocken
stand ich still,
denn ich versteh' nicht,
was er will.
Wie kann ein Sturm
den Herbst besiegen,
anstatt sich froh
in ihm zu wiegen?

Doch fing er lauter
an zu schrei‘n,
so bat ich ihn
ganz schnell herein.
Ich fragte ihn,
was ist gescheh‘n,
du magst es doch,
wenn Winde weh‘n.

Natürlich mag und
lieb' ich Wind.
Doch schau dich um,
mein liebes Kind.
Ich muss die Welt
ins Wanken bringen,
den Mensch zu Mut
und Geiste zwingen.

Ich brauch nur
etwas Sicherheit.
Zum Grübeln bleibt
mir nicht viel Zeit.
Die Welt, sie darf
nicht untergeh‘n.
Das Leben hier
ist viel zu schön.

All jenen, die den
Mensch nicht achten,
ihn schlicht als
Arbeitstier betrachten,
mit Waffenhandel
Krieg forcieren
und dafür auch
noch Geld kassieren,

send ich den tobenden Orkan
sie zu befrei‘n aus ihrem Wahn.

Wer bist du?

Wer bist du Mensch,
der du so stolz
und arrogant agierst,
so ahnungslos
dem Tag begegnest
ohne Rücksicht
auf dein Tun?

Wer bist du Mensch,
der du so grenzenlos
nicht reflektierst,
welch große Chance
du haben kannst,
um wunderbares Leben
zu erschaffen?

Wer bist du Mensch,
der du so klug
und ignorant zugleich,
dein Ebenbild
zerstörst und
die Natur so sinnlos
sterben lässt?

Wer bist du Mensch,
der du so eitel
und naiv sich denkt,
dass Macht und Gier,
das Glück des Lebens ist
und Egoismus Teil
der Freude wird?

Wer bist du Mensch,
ein Schreckgespenst?
Verzweifelt voller Angst,
der Liebe zu versagen,
gibst du dich auf,
belügst dich selbst und
beugst dich jener Hässlichkeit?

Steh endlich auf!
Spreng' all die Fesseln,
die voller Schmerz und
und Trauer sind!
Schöpf' neuen Mut
und Leidenschaft
und schenk die Kraft
der Menschlichkeit!

Sag mir Mensch

Sag mir Mensch, was du vermisst,
warum du so verbittert bist.
Ich kann dein Lachen nicht mehr sehen,
all deine Klagen nicht verstehen.

Karriere hieß dein großes Ziel,
du hast gedient für dein Profil.
Fortuna war dir wohl gesonnen,
hast Lob und Honorar gewonnen.

Als Boss kannst du nun selbst entscheiden
und weißt genau, wen magst du leiden,
wer ist dir zu progressiv
und wer erstickt im eignen Mief?

Von höchster Sprosse ganz bequem
wirfst du nun ab und zu mit Lehm,
benimmst dich wie ein Anarchist,
weil Menschlichkeit nicht nützlich ist.

Sag mir Mensch, was dir noch fehlt,
reichen dir nicht Macht und Geld?
Bist du auf deinen Job nicht stolz,
gehobelt aus massivem Holz?

Kannst du mir dein Sein erklären?
Du wolltest Träume nie entbehren
und doch hast du dein Herz vergessen,
warst nur von Ruhm und Glanz besessen.

Doch scheinbar kommt nun der Moment,
wo Reichtum keine Freunde kennt.
Du hast dich wohl verschätzt im Leben,
denn Liebe hast du nie gegeben.

Gedanken im Sturm

In Gedanken versunken
dem Traum ergeben
geh' ich durch die Straßen
als der Wind mit Kraft
und Stärke tosend
mein Gesicht berührt.

Ich fühle seine Macht,
sein erbarmungsloses Treiben
und immer neue Hiebe
lassen mich taumeln
bis ich erwache
aus meinem Traum.

Jeder Windstoß,
der mich neu und heftig streift
zeigt mir wie lebendig
jeder Moment in diesem Leben,
wie spürbar der Augenblick
wie nah das Schicksal ist.

Gedanken werden wach
orientieren sich neu
suchen den idealen Weg
und der Rhythmus
des Herzens und der Seele
beginnen zu pulsieren.

Leichtes Schwanken
verwandelt sich in
Mut und Hoffnung,
dem Traum zu folgen
und weder Wind noch Sturm
kann diese Sehnsucht nehmen.

Stürmische Tage

Wenn sich die Arbeit wieder türmt,
möchte ich einfach nur hinaus,
Bücher, Texte, Papierkram verlassen,
weglaufen vor dem Tag.

Bevor er um die Ecke biegt,
habe ich längst den Wald erreicht
und tanze mit den Zweigen,
die der Wind verbiegt.

Ich laufe, so schnell ich mag,
er wird mich nicht einfangen
und mir seine Last aufbürden.
Heute überliste ich den Tag.

Plötzlich ein Wasserrauschen
und ich freue mich auf diese Fluten,
die mich mit Frische und Duft
umgeben, meine Gedanken befreien.

Aufgetankt, meinen Atem spürend,
begegne ich der Ruhe.
Der Tag nimmt seinen Lauf
und ich genieße seine Umarmung!

Gefühle

Sag ihr,
woran du schon
seit Tagen denkst.
Sag, was du fühlst,
so sehr vermisst!
Sei gefasst,
deine Wahrheit
zu ertragen!

Sag ihr,
was dich so
schlaflos macht,
dich quält,
dich schweigen lässt.
Sei ehrlich!
Gib ihr die Zeit
und dein Gehör!

Sprich zu ihr,
ohne Zweifel, ohne Angst.
Erwache aus
deiner Melancholie!
Ergreif den Mut
und die Geduld!
Dein Leben
ist ihre Wahrheit!

Sprich mit ihr
bevor sie geht!

Mensch

Mensch, du bist
klug durch deine Weisheit,
groß durch dein Leben,
stark durch deine Schwächen,
emotional durch deine Begleiter,
reich durch deine Erfahrungen.

Mensch, du wirst
still durch all das Schweigen,
traurig durch all das Leid,
geschwächt durch deine Niederlagen,
einsam durch den Verlust,
verletzt durch Arroganz.

Mensch, du bist
genial durch deine Erkenntnisse,
sensibel durch deine Liebe,
einfühlsam durch deine Empathie,
kultiviert durch deine Reisen,
ehrgeizig durch deine Ziele!

Kämpfe für das Leben
und nimm die Menschen
an die Hand!

Dein Hut

Nimm
deinen Hut!
Vergiss das
Buch nicht
und all deine Worte,
deine leeren Versprechen.

Nimm
diese Uhr!
Sortiere deine
Gedanken,
deine Herzenswünsche,
besinne dich deiner
Träume und deiner
Wahrheit.

Vergiss ihn
den alten Hut!
Fang endlich an
du selbst zu sein,
glaube an dich,
lebe nicht das Leben
der anderen.

Ein neuer Hut
steht dir so gut!

Fragen

Fragen über Fragen
fallen über mich her,
rauben meinen Schlaf,
bedrohen meine Seele.

Jeder Versuch,
mich aus ihren Zwängen
zu befreien,
ist ohne Erfolg.

Fragen über Fragen
bringen meinen Puls zum Rasen,
lassen mich erstarren
der Ohnmacht nah!

Jeder Gedanke,
der Angst zu entfliehen,
schreit nach Verzweiflung
und Hilflosigkeit.

Fragen über Fragen
entflammen mein Herz
und ich weiß,
DU bist der Einzige,
der mich erlösen kann.

Angst

Angst,
ein Gefühl der Unsicherheit.
Angst,
ein Gefühl der Sorge.
Angst,
ein Gefühl der Hilflosigkeit.
Angst um dich,
um dein Leben.
Angst um uns.

Angst,
ein Gefühl von Verlust,
Angst,
ein Gefühl der Ohnmacht,
Angst,
ein Gefühl der Reflexion,
Angst,
ein Gefühl des Dankens.
Danke für deine Liebe.

Bleib und genieße heute
meine Kraft und Stärke.
Ich gebe sie dir.
Angst macht Mut.
Ich halte dich und deine
Hände.
Bleib!
Deine Liebe und mein Herz
überleben diesen Tag.

Menschenkinder

Die Sonne lacht,
das Fenster geöffnet,
sehe ich den kleinen Vogel
wie er vergnügt
auf dem Fenstersims hüpft.

Seinen kleinen Kopf erhoben,
schaut er mich an
und beginnt zu singen.
Ich kenne diese Melodie,
lausche seinen Worten.

Siehst du die Sonne?
Fühlst du ihre Wärme?
Spürst du ihre Helligkeit?
Hörst du ihr Wispern?
Verzaubert blicke ich empor
und flüstere ihre Worte:

Ihr Menschenkinder,
nehmt euch an die Hand.
Aktiviert eure Sinne.
Sprengt die Mauern.
Ihr braucht keine Grenzen,
ihr braucht nur euch,
Liebe und Frieden!

Zwielicht

Schenk dir deine leeren Worte
und all jene Schmeicheleien.
Menschen werden erst bedeutsam,
wenn sie mehr sind als ihr Schein.

Spar dir deine Zeit und Mühe,
die du wertlos investierst.
Schau nur einfach in den Spiegel,
ob du dich so akzeptierst.

Suche nicht nach den Momenten,
die du morgen wirst bereuen.
Leben wird nur dann authentisch,
wenn sich Menschen mit dir freuen.

Sei du selbst und bleibe ehrlich,
dir und denen, die dich lieben.
Harmonie und Herzlichkeit
bleiben fern durch ein Verbiegen.

Schenk dir deine leeren Worte
und all jene Schmeicheleien,
Liebe wirst du erst erfahren,
wenn du überzeugst durch Sein.

Das Kapitel

Das Kapitel beendet,
das Buch geschlossen,
die Story vergessen.
Den Blick stark und stolz
in die Zukunft gerichtet.

Ein neues Kapitel begonnen,
farbenfroh und hell.
Freude und Übermut,
Sonne und Mond
sind meine Protagonisten.

Doch immer wieder
kreisen die Gedanken
um all das Ungesagte,
Nichtausgesprochene.
Das alte Kapitel.

Noch einmal lesen?
Liebevoll umblättern?
Einfach verschenken?

Rückblick

Wenn jemand fragt, wie war dein Jahr.
Dann sag ich lächelnd, wunderbar.
Ich bin auf Reisen viel gewesen,
hab' mich in diese Welt gelesen.
Es war ein Schauspiel der Natur,
den Tanz der Seele ich erfuhr.
all die Momente voller Glück,
manch' Freudenträne blieb zurück.
Lebendig froh, vergnügt und heiter
hoff' ich sehr es geht so weiter.

Und dennoch bin ich irritiert,
weil manches Schicksal existiert,
das traurig und betroffen macht,
mich grübeln lässt so manche Nacht
Drum wünsch' mir von ganzem Herzen,
dass Menschen leben ohne Schmerzen,
sie endlich wieder glücklich sind,
verrückt sein können wie ein Kind,
dass Liebe jeden Hass besiegt
und Wärme durch die Lüfte fliegt.

Kapitel V

Der Tanz der Muse

Herbstzeitlos

Wirst du mich auch dann noch lieben,
wenn der Herbst hat mich erreicht,
wenn die Blätter welken werden,
Schönheit meiner Weisheit weicht?

Wirst du mir auch dann noch folgen,
wenn statt Tango Walzer klingt,
wenn der Rhythmus sich verändert,
Poesie mein Herz beschwingt?

Wirst du mich auch dann noch küssen,
wenn die Lippen sanfter glühen,
wenn sie schmecken süß und bitter,
doch in ihrer Sehnsucht blühen?

Wirst du auch noch mit mir träumen,
wenn die Sonne untergeht,
wenn der Himmel voller Sterne,
hinter dunklen Wolken steht?

Wirst du auch noch mit mir lachen,
wenn der Regen leise rinnt,
wenn die Tage trübe scheinen,
Sonne lockt den Wirbelwind?

Irgendwann fällt unser Schleier,
ganz egal was auch geschieht.
Ich liebe dich nur deinetwegen,
hoffnungsvoll klingt unser Lied.

Guten Morgen

Am Morgen
eine leise Bewegung,
ich schlafe noch,
genieße die Zeit.
Doch schon weiß ich,
gleich berührst du mich.

Ein leichtes Blinzeln,
ich spüre deine Augen
auf meinem Gesicht.
Ein sanftes Öffnen.
Du strahlst voller Freude.
Und wie jeden neuen Morgen
höre ich dich sagen:
Dein Lächeln, da ist es wieder.

Begegnet

DU kennst
meine Freude,
meinen Humor,
meine Stärken,
meine Träume,
meine Ängste,
meine Tränen.

DU teilst,
meine Sorgen,
meine Seele,
meine Illusionen,
meine Sehnsucht,
meine Wünsche,
meine Zweifel.

Wir verstehen,
inspirieren,
überzeugen,
motivieren,
vertrauen,
lachen
und schweigen.

Wir reden,
staunen,
genießen,
singen,
tanzen,
streiten,
versöhnen.

Unsere Begegnung
hat einen Sinn.
Du kennst mich.

Danke für dein Sein.

Hoffnung

Liebes Schicksal,
was ist gescheh'n?
Soll ich die Sterne
nicht leuchten seh'n?

Mein Herz es weint,
die Seele schreit,
wo ist sie
meine Heiterkeit?

Die Traurigkeit
hat mich berührt,
der Schmerz des Lebens
mich entführt.

Vielleicht sind es
die grauen Tage,
die langsam ich
nicht mehr ertrage?

Ich könnt' ewig
weiter fragen,
doch wer vermag
die Antwort sagen?

Du, mein Leben
mach‘ mir Mut!
Ich brauch‘ mein Lachen,
neue Glut!

Gib mir die Hoffnung,
lass mich träumen,
ich will den Frühling
nicht versäumen.

Einmal noch

Einmal noch
möchte ich
diese Reise erleben,
dem tobenden Meer
mit all seinen stürmischen
Wellen begegnen.

Einmal noch
möchte ich
über den Wolken schweben,
nach ihnen greifen,
diese unendliche Weite,
ihre Freiheit spüren.

Einmal noch
möchte ich
dich wiedersehen,
deine Nähe und
und deine Worte
bei einem Wein genießen.

Einmal noch
möchte ich
durch diese Wälder streifen,
die Natur berühren
und des Nachts mit dir
nach den Sternen greifen.

Einmal noch?

Sinnlichkeiten

Hörst du, wie das
Zwitschern der Vögel verstummt,
ihre Lieder auf Reisen gehen,
die Melodien verblassen,
die Stille unsere Herzen ergreift?

Siehst du, wie die
Blätter im Winde taumeln,
sattes Grün seine Tönung erlebt,
die Bäume vom Zauber erfasst,
ihr Farbenmeer unser Sein bewegt?

Spürst du, wie der
Regen fröhlich auf der Wiese tanzt,
warm und dennoch stark
uns aus schönsten Träumen reißt
und zärtlich aneinander schmiegt?

Schmeckst du, wie der
gute Wein frohlockt,
beschwingt uns animiert,
die Gaumenfreude zu genießen
und der Versuchung still zu folgen?

Riechst du, wie der
Nebelschleier uns umhüllt,
die Sicht uns nimmt
und auch die Wärme,
doch klare Luft uns atmen lässt?

Weißt du, wie ich
dich vermisse,
wenn du schon morgen von mir gehst,
meine Verse dich begleiten,
und meine Küsse endlos sind?

Hörst du, wie der
Herbst laut flüstert?

Symbiose

Kannst du diese Stille sehen,
die Ähren auf den Feldern hören?
Das Plätschern in dem kleinen Fluss
versucht mich leise zu betören.

Ein Strudel tanzt vergnügt im Kreis,
Musik erklingt aus seiner Mitte.
Ich gehe zaghaft auf ihn zu,
das kühle Nass belebt die Schritte.

Dem Rhythmus folgend, fasziniert
beginnt mein Herz zu schlagen.
Es hüpft, es lacht, es kollabiert,
die Schönheit ist kaum zu ertragen.

In Trance versunken, atme ich
den Zauber tief in meine Seele.
So endlos stark und vogelfrei,
ein Lied erklingt aus meiner Kehle.

Ein stilles Gleiten aus dem Fluss
lässt Geist und Träume fliegen.
Gelbe Felder voller Ähren,
ich möchte der Natur erliegen.

Die Nacht

Ich schau' in die Nacht,
rauschende Bäume,
sanftes Laternenlicht.
Stille auf den Straßen,
am Himmel ein Flugzeug,
Sterne, die leuchten.

Wo sind sie,
die Menschenseelen?
Ausgeflogen oder daheim?
Allein oder zu zweit?
Glücklich oder traurig
ihrem Schicksal erlegen?

Meine Gedanken wandern
durch die Dunkelheit.
Diese Ruhe lässt mich leise
in die Ferne schweifen.
Es ist dieser Moment,
der Träume entfacht.

Tief atme ich die klare Luft,
spüre deine Berührung.
Deine Hand nimmt die meine.
Ich dreh' mich langsam zu dir um,
sehe dein liebevolles Lächeln,
höre deine Worte:

Komm,
wir tanzen durch die Nacht!

Regen und Sonne

Regen und Sonne,
du wunderbares Duett,
schenkst mir Vergnügen,
begeisterst und fesselst mich,
führst meine Seele zum Tanze aus.

Ich fühle den Regen,
die tropfenden Perlen
auf meinen Körper rieseln,
und mein Frühlingskleid
erstrahlt im frohen Glanz.

Das Kitzeln der Sonne
berührt meine Haut,
streichelt mein Haar,
verzaubert jede Strähne
in eine lockige Pracht.

Regen und Sonne
du Wunder der Natur,
bedeckst mich mit Blüten,
verzauberst mich
mit deiner Leidenschaft.

Umarmt vom Regenbogen
spaziere ich über die Wiesen,
atme die frischen Düfte,
bis ich erwache durch
deinen süßen Kuss.

Entschlossen

Entschlossen,
dir noch einmal zu begegnen,
steh‘ ich vor deiner Tür.
Herzklopfen begleiten meine Gedanken,
mein Atem gerät in Ekstase.

Zweifel steigen auf.
Zögernd bewege ich mich zurück
und versinke in Erinnerungen
an unsere schönsten Momente.

Ein Schrei durchfährt meinen Körper
und der Ruf nach dir,
verleiht mir die Kraft,
schenkt mir neuen Mut.

Entschlossen,
werde ich es wagen,
dir noch einmal zu begegnen.

Glück

Den Schmerz überwunden,
die Tränen getrocknet,
die Odyssee überstanden,
der Talfahrt entflohen,
bin ich wieder im Leben erwacht.

Ich mag all den Klängen
der Musik heute lauschen,
ihre feinen Rhythmen spüren,
den Zeilen des Lebens
meine Sinne schenken.

Ich mag mein Lieblingsbuch
erneut zaghaft öffnen,
das Einzelne im Ganzen
fühlen und mich der
Spannung total ergeben.

Ich kann die Farben der Blüten
berühren und jede Nuance
in ihrer zarten Pracht
lässt meine Fantasie erwachen
und ihre Schönheit pur erleben.

Ich kann nun die Lieder der Vögel
hören, ihr Zwitschern und
Turteln in den Ästen sehen,
ihr Hüpfen auf den Knospen
zaubert ein Lächeln in mein Gesicht.

Den Schmerz besiegt,
genieß' ich all die Verlockungen,
Herz und Seele beginnen zu tanzen.
Ich möchte die Welt umarmen
und ihr ein Lied der Freude singen.

Blues

Kalt und stürmisch
pfeift der Wind
mir ins Gesicht.
Erbarmungslos kriecht er
unter meine Haut.

Ich beginne zu laufen,
will ihm entkommen,
doch schwere Nebelschleier
verhindern ein Entrinnen.

Da ist er wieder,
der Novemberblues.

Er lässt mich frieren,
und grübelnde Gedanken
voller Melancholie und Dunkelheit
bedecken meine Seele.

Frohe Farben verblassen,
all die bunten Blätter
tanzen nicht mehr.
Es prasselt der Regen
und selbst der Himmel weint.

Das ist er,
der Novemberblues.

Doch heute erlebe ich
meinen eigenen Blues.
Flimmerndes Kerzenlicht,
sinnliche Düfte,
inspirierende Klänge
faszinieren mich.
Bilder der Erinnerung
erobern mein Herz,
meine Sinne.

Ich liebe diesen Blues!

Lebensgefühle

Lebensgefühl,
was für ein Zauberwort?
Welch‘ Klang der Melodie?
Sag mir, was ist
das Gefühl des Lebens?

In ein Buch tief versinken,
Darius Rucker‘s
“Lost In You“ zu lauschen
oder Kaffeeduft zu inhalieren?

Lebensgefühl,
sind das die Erinnerungen
an unsere erste Verführung?
Hand in Hand mit dir
barfuss durch den Regen gehen?

Lebensgefühl,
ist das der Tanz
unter Sternen,
den kleinen Wagen
am Himmel zu suchen?

Lässt das Leben uns fühlen
oder fühlen wir das Leben?

Ich weiß nur eins,
mit dir kann ich leben,
mit dir will ich leben.
Wir sind das Leben.
Es ist diese Lust am Leben.

Im Winter

Wenn die weißen Flocken tanzen,
möcht‘ ich Kind noch einmal sein,
einfach raus in das Vergnügen,
schwungvoll in den Schnee hinein.

Magisch in das Pulver greifen,
lustvoll werfen in die Luft,
voller Spaß im Kreis mich drehen
laut genießen, diesen Duft.

Nochmal einen Schneemann bauen
mit ‘ner Möhre im Gesicht,
einen Wollschal um den Hals,
denn dann friert der Alte nicht.

Kalte und verfrorene Hände,
kribbeln auf der Rodelbahn,
sausten wir auf uns’ren Schlitten,
voller Freude, Glück und Wahn.

All die weißen stillen Straßen
laden mich zum Träumen ein,
hey, wo ist die Zeit geblieben,
als ich war noch jung und klein.

Heute geh ich gern spazieren
durch die Winterwaldnatur,
freu‘ mich über Kinderlachen,
wildes Treiben, Frohsinn pur.

Kapitel VI

Die

Seelenmuse

Warum

Du hast mir mein Herz gestohlen,
ohne mich je zu fragen,
hast meine Seele entführt,
ohne zu sagen wohin.
Du hast mir einen Weg gebahnt,
den ich noch nie gegangen,
hast mir deine Welt erklärt,
ohne die meine zu ergreifen.

Du hast meine Sinne berührt
ohne den Zauber zu verraten,
hast ein Flammenmeer entfacht
ohne das Feuer zu hüten.
Du hast mir Träume gezeigt,
die ich noch nie gewagt,
hast meinen Schlaf geraubt
ohne mir nah zu sein.
Du hast mir rote Rosen geschickt
ohne zu sagen warum.

Magie

Den leisen Klängen
der Musik verfallen,
vom prickelndem Duft
der Nacht umhüllt,
der Magie des leuchtenden
Mondes ergeben,
den lieblichen Worten
deines Flüsterns gefolgt.

Vom Zauber erfüllt,
der Sehnsucht ergriffen,
will ich es wagen,
den Wellen der Fluten
ganz tief zu begegnen.
Ein tanzendes Herz,
eine singende Seele,
ein Paradies hautnah.

Gefangen in Trance
vergess‘ ich die Welt,
begegne den Sternen
und fühl‘ mich so frei.
Gäb es ein Erwachen
aus meinem Traum
fingst du mich sanft
und behutsam auf!

Von Seide umhüllt

In rote Seide
gehüllt und
wallendem Haar
das Kleid geschmückt
erwarte ich dich
in Ungeduld!

Heute werde ich
uns den Tag versüßen.
Reich mir die Hand
und lass dich führen
in mein Paradies.

Blicke begegnen,
Herzen berühren sich.
Umschlungen in Trance
tanzen unsere Seelen
diesen Tango d'amour.

Dein Kuss, so wild,
raubt mir den Atem
und voller Sehnsucht
versinken wir in
Flammen und Ekstase.

Hier und Jetzt

Jetzt
sitzen wir
unter diesem hohen Baum,
schattenspendend
kühlen seine Blätter
unsere Gemüter.

Hier
genießen wir
die roten Kirschen,
fruchtig
verwöhnen sie
unsere durstigen Seelen.

Hier
begrüßen wir
den Sommerabend,
verführen
unsere Sinne mit
prickelnden
und lieblichen Küssen.

Unsere Hände
beben,
berühren und fühlen
intensiv,
halten uns
ganz fest.

Jetzt!

Verliebt

Ich bin verliebt,
mein Herz klopft laut,
kann es kaum erwarten,
ihm endlich zu begegnen,
seine Nähe hautnah
zu spüren,
ihm lächelnd und glücklich
gegenüber zu stehen.

Seine Bilder wandern
durch meine Träume,
seine Augen fesseln mich,
ich spüre seine Berührung
das Streicheln seiner Hände
durch mein lockiges Haar,
all das Kribbeln im Bauch
diese Gänsehaut.

Der Sonne folgend,
verweile ich am See,
erlebe diese Wärme,
die mich verwöhnt,
lausche der Stille,
genieße den Augenblick.

Hab mich verliebt
in diesen Sommer.

Liebe

Liebe ist
dein Lächeln am Morgen,
dein Nahsein
trotz mancher Distanz.

Liebe ist
deine Stimme zu spüren,
die immer wieder antwortet
und weise schweigt.

Liebe ist
deine Geborgenheit,
die mich so sicher und
glücklich leben lässt.

Liebe ist
mit dir zu diskutieren
und doch zu wissen,
unser Lachen ist die Lösung.

Liebe ist
um dich zu wissen,
dich jeden Tag zu spüren und
neu zu erleben.

Liebe ist
deine und meine Freiheit,
sie zu genießen.

Liebe ist Geben und Nehmen.
Liebe bist DU!

Lass uns ziehen

Liebster reich' mir deine Hand
und entführ' mich in ein Land,
wo die Dünen vor uns liegen,
unsere Träume aufwärts fliegen.

Lass uns von den Wolken tragen
und den Alltag heut begraben,
fröhlich auf die Menschen schauen
neu beginnen zu vertrauen.

Lass uns auf den Wellen reiten,
lustvoll auf dem Wasser gleiten,
warten, bis die Brandung lacht,
die Abendsonne still erwacht.

Lass uns mit den Möwen ziehen
und der Wirklichkeit entfliehen,
einfach schweben ohne Ziel,
schwingen wie ein Harfenspiel.

Liebster nimm mich an die Hand,
und entführ' mich in ein Land,
wo Mond und Sonne sich berühren
unsere Seelen sich verführen.

Seelengefährten

Du
mein Freund,
Seelenpartner,
Geliebter,
der Mann.
Du bist der Schatz.

Und deshalb
bist du frei.
Ich halte dich nicht,
enge dich nicht ein,
lege dich nicht in Ketten.
Ich entscheide nicht über dich.

Du bist
Beschützer,
Clown,
Vertrauter.
Du gibst mir Kraft
und Geborgenheit.

Du bist
die Sonne in meinem Leben.
Doch nur die Freiheit
belebt die Zweisamkeit.
Und wenn die Welt dich ruft,
dann folge ihr!

Ich weiß,
wir gehen uns nie verloren!

Leidenschaft

Willst du wirklich mich entführen,
heut in dieser Sternennacht,
meine Seele tief berühren,
deren Zauber du entfacht?

Willst du wirklich in mir wecken
all die Sehnsucht, die verborgen,
meine Nähe sanft entdecken,
mutig, frei, ganz ohne Sorgen?

Willst du wirklich heut erleben,
wie sich anfühlt unser Sein,
still genießen dieses Beben,
lustvoll unter Mondesschein?

Lass der Fantasie uns folgen,
schwingend leicht in Übermut,
schenk mir deine süßen Küsse,
feurig heiß und voller Glut.

Lass mich deine Wärme spüren,
lieblich jede Zärtlichkeit,
viel zu lang hab ich gewartet,
meine Liebe nach dir schreit.

Lass uns den Moment genießen,
dieses Glück tief inhalieren.
Leidenschaftlich uns're Hände
werden niemals sich verlieren.

Mein Lieblingsbuch

Das ist
mein Lieblingsbuch,
gezeichnet
von wunderschönen Geschichten,
malerischen Worten,
ergreifenden Fragen,
plausiblen Antworten,
interessanten Zitaten,
philosophischen Erklärungen,
filigranen Skizzen.

Es ist
mein Tagebuch
und deine Inschrift
„Ich liebe dich!“

Augenblicke

Als ich heut‘ den Tag begann,
war die Nacht mir noch so nah.
Immer wieder dieser Blick,
als ich deine Augen sah.

Vieles hast du nicht gesagt,
so es lag in deiner Macht.
wolltest den Moment genießen,
hast das Feuer still entfacht.

Meine Hand hast du gehalten,
uns am Fluss entlang geführt,
all die Sterne mir erklärt,
meine Lippen sanft berührt.

Voller Sehnsucht blieb ich stehen,
einzuatmen all das Glück,
deine Augen freudestrahlend,
für uns zwei gab’s kein Zurück.

Mein Gesicht in deinen Händen
hier an unserem Lieblingsort,
spürte laut zwei Herzen klopfen,
jeder Kuss stand für ein Wort.

Mein Verlangen dir zu sagen,
dass ich endlos glücklich bin,
eins zu sein mit deiner Seele,
ist des Lebens schönster Sinn.

Dein Kuss

Wenn du meinen Mund berührst,
verführend meine Zunge spürst,
kann ich mich dir nur ganz ergeben,
die Zärtlichkeit bewusst erleben.
Mein Herz beginnt gar laut zu schlagen
und ich ertrink‘ in tausend Fragen.

Du schmeckst so gut wie wilder Wein,
ich bin bereit und lass mich ein
auf deine stürmischen Romanzen,
auf ein unendlich wildes Tanzen.
Dein Zauber hat mich längst gefangen,
ich fühle dich und mein Verlangen.

Ein wunderbares Spiel beginnt,
die Lust durch unsre Körper rinnt,
behutsam wandern deine Hände,
meine Sehnsucht kennt kein Ende.
Ich mag dein Feuer nie mehr missen,
will jeden Tag dich schwindlig küssen.

Die Umarmung

Die Umarmung
meiner Seele
ist deine Berührung,
diese Sensibilität,
die ich spüre,
wenn wir uns begegnen,
fühlen,
gemeinsam atmen.

Die Umarmung
meiner Seele
ist die Unfassbarkeit,
dieses Wunder
dich zu erleben,
dich begleiten zu dürfen,
dich zu genießen,
dich zu lieben.

Unsere Umarmung
ist das Höchste,
das Mächtigste,
ist Magie,
ist ein Glück
ist die Vollendung
zweier Menschen.
Du und Ich.

Die Muse

Lüstern ist der Geist des Lesers,
sinnlich gar zutiefst berührt,
sucht er meist die nackte Muse,
die er heimlich dann verführt.

Still und sanft lässt er sich fallen
in den Schoß der Dichterin,
lauscht den Tönen ihrer Verse,
zu begreifen deren Sinn.

Entzückt von Wort und Resonanz,
fühlt er die Leichtigkeit im Sein,
er bittet sie um einen Tanz,
voll Poesie bei Kerzenschein.

Frohlockend und mit süßer Stimme
fragt sie, ob er sich sei bewusst,
dass Dichten, Lesen, Buchstabieren
oft enden kann in größter Lust?

Des Lesers Geist weiß was er will
und lässt sich auf die Muse ein.
Just zelebriert er jeden Satz
bei einem guten Tropfen Wein.

Nach Stunden voller Fantasie
hält er das Werk in seinen Händen.
Er reicht es ihr mit einem Kuss
und träumt, er möge niemals enden.

Danksagung

Wenn ein eigenes Buch vollendet ist, dann schlägt das
Herz Purzelbäume, es singt und lacht und ist
unbeschreiblich glücklich.
Nach schlaflosen Nächten, unendlich vielen Gedanken,
kreativen Momenten, Zweifel und doch auch immer
wieder einer großen Portion Optimismus ist es
geschafft.
Ein tiefes Aufatmen und Besinnen treffen aufeinander.

Was ich nie wirklich geplant, hat nun seine Vollendung
erhalten, und an diesem wunderschönen Ergebnis sind
einige Leute sehr intensiv beteiligt gewesen.
Es ist mir ein großes Bedürfnis, ihnen meinen
herzlichen Dank auszusprechen, auch wenn ich nicht
jeden einzeln benennen kann.
Eine kleine Lesergemeinde hat mir den Floh ins Ohr
gesetzt, aus all den Gedichten ein Buch entstehen zu
lassen, was ich nun in die Realität umgesetzt habe.

Mein besonderer Dank gilt der großartigen Künstlerin
Sabina Nore, die mir zum einen ein bezauberndes und
unsagbar schönes Cover gemalt hat und zum anderen
auch für die Gestaltung des gesamten Buches
verantwortlich ist.

Herzlich danken möchte ich der Autorin Louise Bourbon, die mir nicht nur bei vielen Fragen problemlos mit Antworten zur Seite stand, sondern auch als Lektorin sehr schöpferisch gewesen ist.

Meiner lieben Kollegin Carolin Winkler gebührt gleichermaßen ein ganz großes Dankeschön.
Sie hat sich ebenfalls mit all meinen Gedichten auseinandergesetzt und war mir mit ihren kreativen Ideen sehr hilfreich.

Keinesfalls vergessen möchte ich meinen lieben Mann, der von Anfang an mein Projekt „Die Seelenmuse“ mitgetragen hat und mir die Freiräume ließ, mich dem Schreiben widmen zu können.

Er hat mich in meiner Intention gestärkt und an der Realisierung des Buches aktiv mitgewirkt.
Ihm gilt ein spezielles Dankeschön, denn er ist zugleich die Muse in meinem Leben!

Über die Autorin

Heike Hoffmann, geboren in Halle/Saale, lebt und arbeitet in ihrer Heimatstadt.
Sie studierte zwei Sprachen, Englisch und Russisch, und einige Jahre später, als sie bereits ihren Beruf als Gymnasiallehrerin mit viel Interesse und Begeisterung ausübte, folgte ein Studium der Psychologie.

Das Lesen und die Literatur waren schon immer relevant in ihrem Leben.
Bereits in ihrer Kindheit 'verschlang' sie liebend gerne Bücher und konnte emotional in andere Welten eintauchen und sich intensiv mit Charakteren und Protagonisten auseinandersetzen.

Der Mensch ist und bleibt ein aufregendes Wesen, welches sie nicht nur in der Literatur intensiv betrachtet, sondern auch im täglichen Leben einer ihrer wichtigsten Begleiter ist.

Das Schreiben in Form von Lyrik ist eine ganz individuelle Auseinandersetzung mit täglichen Berührungen und dem Versinken in kleine große Träume.

Wenn die Poesie zu sprechen beginnt, eröffnet sich eine neue Welt, die nicht nur die Sinne sensibilisiert, sondern auch Momente der Wahrnehmung stärken, die Gefühle ansprechen und die Fantasie anregen.
Heike Hoffmann möchte den Leser auf eine Reise voller Freude, Hoffnung und Liebe schicken und sie inspirieren, jeden Augenblick des Seins bewusst und wahrhaftig zu genießen.

Epilog

Die Muse nahm mich an die Hand,
entführte mich ganz elegant
in eine Welt voll Poesie
und ich erlag der Euphorie.

Das Spielen mit dem Wort begann,
durch Fantasie ich Spaß gewann,
alsbald erwuchs in mir die Kraft
und flammte auf in Leidenschaft.

Ich schrieb die Verse auf's Papier,
als aus der Ferne das Klavier
mich musikalisch sanft berührt,
die Muse mich sofort verführt.

Begleitet von Magie und Charme
entstand der Tanz auf dem Vulkan
der Bilder und dem Element,
welch sich das Ich der Lyrik nennt.

Inhaltsverzeichnis

Weitere Informationen:
www.facebook.com/Seelenmuse
seelenmuse@gmx.de